Histoires
de Lettres

D1413466

Du même auteur

AUX MÊMES ÉDITIONS

Alice au pays du langage
1981

Les Fous du langage
1984

Catalogue des idées reçues sur la langue
1988

CHEZ D'AUTRES ÉDITEURS

Les Mots et les Femmes
Payot, 1978

Le Sexe des mots
Belfond, 1989

Marina Yaguello

Histoires de Lettres

Des lettres et des sons

ILLUSTRÉ PAR PRONTO

Éditions du Seuil

COLLECTION DIRIGÉE PAR NICOLE VIMARD

ISBN 2-02-011566-2.

© ÉDITIONS DU SEUIL, MARS 1990.

Pour Anne-Natacha

A noir, E blanc, I rouge, U vert, O bleu : voyelles,
Je dirai quelque jour vos naissances latentes...
(Arthur Rimbaud, *Voyelles*)

Avertissement

Ce petit livre présente, sous une forme aussi digeste que possible, des faits relativement complexes (bien qu'ils paraissent, trop souvent, aller de soi). J'ai adopté un parti de simplicité qui m'a amenée à renoncer à l'usage de symboles phonétiques peu connus du grand public. Les « sons » dont je parle sont bien entendu les « phonèmes » des linguistes et sont représentés entre barres obliques par des lettres droites. La prononciation des mots apparaît entre crochets. Les lettres (ou « graphèmes » pour les spécialistes) sont toujours en italiques.

Comme: A quoi ça
mène l'amour...

Histoire d'A

A, B, C... ânonnent les écoliers depuis des siècles.

Ce n'est pas l'effet du hasard si *A* occupe la première place dans notre alphabet. En effet, la lettre *A* ouvre *tous* les alphabets dérivés du phénicien (hébreu, arabe, grec, latin, cyrillique). En phénicien, *Aleph* était une consonne, puisque cette langue ne notait pas les voyelles. Plus tard, les Grecs ont repris ce signe pour représenter la voyelle primordiale : *Alpha ;* celle-ci, associée à *B* ou *Bêta*, a donné le mot *alphabet*.

Sur le plan phonétique, la voyelle /A/ est la première que l'enfant prononce. Il lui suffit pour cela d'ouvrir grande la bouche. C'est la voyelle du cri spontané : « AH ! » C'est aussi celle de la vocalise, puisqu'elle entraîne une ouverture maximale de la cavité buccale ; ce qu'évoque d'ailleurs le tracé de la minuscule : ɑ.

13

La voyelle /A/ est dite universelle ; aucune langue ne peut s'en passer.

Certaines langues sont très riches en voyelles ; d'autres en sont au contraire très pauvres : d'une langue à l'autre, le nombre total de sons-voyelles peut varier de trois à plusieurs dizaines. Le français moderne en possède de onze à seize selon les régions, les milieux sociaux et les générations (treize dans la prononciation moyenne).

Or, pour écrire les quelque **seize** voyelles de la langue parlée nous ne disposons que de **six** lettres (dont deux doublons – *I* et *Y*). Il nous manque donc une dizaine de lettres. C'est la principale source des complications de l'orthographe française. Pour noter toutes les voyelles on a dû, au cours des siècles, bricoler des solutions plus ou moins astucieuses : les accents, les groupes de lettres ou digrammes (*ai, an,* etc.). Beaucoup de ces « substituts » font double emploi, comme *an* et *en, ai* et *è*; d'autres sont ambivalents comme *au* dans *Paul* et dans *Paule*.

Le système de correspondance entre la lettre et le son est donc loin d'être satisfaisant.

La lettre *A* est l'une des moins traîtres parmi les voyelles. En effet, le son /A/ s'écrit *A* dans 95 cas sur 100. L'accent circonflexe qui orne les cinq pour cent restants est la trace d'un ancien *S* qui a disparu de la prononciation.

L'accent circonflexe, qui permet de distinguer *mâle* de *mal*, *tâche* de *tache*, *Bâle* de *bal*, *pâle* de *pal* signale en principe un /A/ plus profond et plus long que le /A/ simple. Mais cette distinction dans la prononciation n'est pas respectée par tous les francophones aujourd'hui. On peut prévoir sa disparition à moyen terme. Le circonflexe n'aura plus alors qu'une valeur décorative et historique, comme c'est le cas pour beaucoup d'éléments de l'ortho-

graphe française, qui est essentiellement **conservatrice**, alors que la prononciation, comme il est normal dans une langue vivante, évolue sans cesse.

Le mot *femme*, souvent écrit *fame* jusqu'au dix-huitième siècle, est une exception tout à fait aberrante. On y a conservé le *E* du latin *femina*, qu'on retrouve dans *féminin*.

L'accent grave sur le *A* ne correspond à aucune différence de prononciation. Il permet de distinguer la préposition *à* du verbe *avoir* à la troisième personne, l'adverbe *là* de l'article *la*. Ce *à* est un luxe coûteux. Il occupe une touche de clavier sur un ordinateur ou une machine à écrire au profit de quatre mots seulement : *à, là çà* et *déjà*.

Au contact de la consonne nasale /N/, /A/ (comme les autres voyelles d'ailleurs) s'est trouvé « nasalisé » au

Moyen Age. D'où l'apparition d'une série de nouvelles voyelles inconnues en latin, prononcées en laissant libre le passage de l'air par le nez. On les a longtemps écrites avec une barre au-dessus, ce qui donnait $\overline{A}$ au lieu de *AN* aujourd'hui. L'alphabet phonétique moderne a repris cette notation, qui a l'avantage de souligner la relation entre les voyelles nasales et les voyelles orales correspondantes.

Les voyelles nasales sont peu répandues dans les langues du monde en général et de l'Europe en particulier. Elles contribuent à donner au français sa sonorité spécifique.

Comme : Bien belle
ma Bertha !

Histoire de B

Les lettres de l'alphabet se succèdent dans un ordre fixe, qui est devenu un principe de classement. Cet ordre, si familier qu'il nous paraît aller de soi, est pourtant largement arbitraire. Sa principale justification est historique : l'ordre phénicien a été préservé, pour l'essentiel, de nouvelles lettres venant s'y insérer au cours des siècles. C'est ce qui explique que les lettres voyelles soient mélangées aux lettres consonnes. Un alphabet « rationnel », fondé sur les caractéristiques phonétiques des sons, aurait inévitablement séparé consonnes et voyelles.

En dépit de ce caractère non motivé de l'ordre alphabétique, il apparaît logique, d'un point de vue phonétique justement, que B – première consonne – vienne dans la foulée de A – première voyelle. En effet c'est souvent /B/ (ou sa jumelle « sourde » /P/) que l'enfant prononce en premier.

Il n'existe pas de langue qui ne possède pas les sons /B/ et/ou /P/ alors que, tout comme pour les voyelles, le nombre et la nature des consonnes sont très variables dans les langues du monde.

/B/ se prononce en pressant les lèvres l'une contre l'autre avant d'ouvrir la bouche pour laisser l'air s'échapper, ce qui permet d'enchaîner tout naturellement avec /A/ pour donner /BA/. L'expression le *B-A BA*, pour parler d'une notion élémentaire, paraît donc pleinement justifiée.

/B/ est une consonne « sonore », contrairement à sa jumelle /P/, qui est « sourde ». La plupart des consonnes s'organisent en paires sonore/sourde. Seules les sonores entraînent une vibration des cordes vocales. L'existence de ces paires explique certaines similitudes dans le tracé des lettres (*P* et *B*, *C* et *G*, *S* et *Z*) et certaines alternances phonétiques comme *neuf/neuve*.

La lettre *B* représente normalement le son /B/. Elle remplace parfois sa jumelle *P* comme dans *obtenir*, où on écrit *B* bien qu'on prononce /P/, sous l'influence du /T/ qui suit.

Lorsqu'elle est muette, comme dans *plomb*, la lettre *B* joue un rôle de lien étymologique entre mots de la même famille (par exemple : *plomb, plombier* et *plomber*).

Comme : Croquer
le Camembert.

Histoire de C

Avec *C* tout se gâte et se complique. *C* est un agent double, une lettre à deux visages, traître par excellence. En effet, une seule et même lettre sert à noter deux sons différents – /K/ et /S/ - alors que ces mêmes sons peuvent être rendus chacun par une lettre distincte, *K* et *S* respectivement.

Comment s'explique cette situation aberrante ? Tout simplement par l'héritage du latin. En latin, *C* se lisait toujours /K/ et jamais /S/; ainsi *centum*, qui a donné en français *cent,* se disait [*kentum*]. Or, en ancien français, la prononciation évolue ; [*kentum*] devient dans un premier temps [*tsent*] puis [*sent/*] On continue pourtant à l'écrire avec un *C*.

Désormais, devant *E* et *I, C* ne se lit plus /K/ mais /S/.

Résultat : *C* prend définitivement une valeur différente selon la voyelle qui suit ; et vient doubler *K* et *S*. Le principe même de l'écriture alphabétique – une lettre pour un son – est violé et le reste de notre alphabet n'est plus qu'une suite de problèmes et d'incohérences. Plus tard, au dix-septième siècle, on inventera la cédille, qui permet de conserver un *C* devant *A, U* et *O*. On évite ainsi de rompre l'unité des conjugaisons (*Je lance, nous lançons* et non *lansons*).

Dans le même temps apparaissait une nouvelle consonne, inconnue en latin, la « chuintante », que nous écrivons *CH*. Cette consonne provient d'un *C* latin suivi de la voyelle *A. Caput*, « tête », est ainsi devenu en ancien français *chef*, et c'est ce qui explique que les mots de la famille de *chef* commencent par *C* ou *CH* selon qu'ils proviennent de la langue populaire – le français naissant – ou sont de formation savante :

Caput	chef
capitale	*cheptel*
capitaine	*chapitre*
décapiter	*chevet*

C'est cette même évolution phonétique qui est responsable de « doublets » comme *cavale/cavalier* (emprunts à l'italien) et *cheval/chevalier*.

Cette transformation de /K/ latin en /CH/ est un des traits qui distinguent le français de l'occitan comme en témoigne la carte de France : aux *Château-* du Nord répondent les *Castel-* du Midi.

Le redoublement de *C* devant *E* et *I* lui fait prendre ses deux valeurs successivement, et fait alors double emploi avec *X*. Ce qui nous permet de distinguer le mot *accent* de son homophone *axant* (du verbe *axer*).

Comme: Dites donc
il dégage!

Histoire de D

Dada, dodo, Dédé… elle est dodue cette dondon…

D, lettre ventrue, projette sa panse en avant. Comme *B*, et contrairement à *C*, *D* n'est pas traître pour un sou.

/D/ et sa jumelle « sourde » /T/ sont, avec leurs cousines /P/ et /B/, parmi les sons que les jeunes enfants apprennent à articuler en premier. Ces consonnes « primaires », consonnes d'enfance par excellence, sont toutes des « occlusives », dont l'articulation exige une obstruction du passage de l'air par la bouche suivie d'une ouverture brutale. Dans le cas de /D/ et /T/, l'occlusion se produit en poussant la pointe de la langue contre les dents, d'où leur nom de « dentales ». Le mot *dent* comporte d'ailleurs une ou plusieurs consonnes dentales dans de nombreuses langues et ce n'est peut-être pas tout à fait par hasard.

Comme la plupart des consonnes, la lettre *D* est muette à la fin des mots. Autrefois, toutes les consonnes finales se prononçaient. Elles ont été progressivement « usées » dans la langue orale. Mais elles ont été systématiquement préservées dans la langue écrite. On est même allé jusqu'à en rajouter là où il n'y en avait pas.

Ainsi dans le mot *pied*, qui s'écrivait *pie* au Moyen Age, le *D* muet a été rajouté par un scribe soucieux de distinguer *le pied* de *la pie*, l'accent aigu n'existant pas à l'époque (il ne sera introduit qu'au seizième siècle). Pourquoi avoir mis justement un *D* pour jouer le rôle de l'accent aigu ? C'est que ce *D* rétablit le lien étymologique avec *pédestre*, formé directement sur le latin.

Du fait de l'insuffisance de lettres dans l'alphabet, notre orthographe s'est constituée à coup de bricolages successifs, en particulier par des ajouts de lettres destinées à supprimer les ambiguïtés et à distinguer les homophones, tout en rappelant l'étymologie. Un grand nombre de lettres muettes ont ainsi valeur de signal et n'ont jamais été prononcées en ancien français.

Les clercs, étant nourris de culture latine, ont toujours cherché à *rapprocher* artificiellement par l'écriture deux langues, le français et le latin, qui se *séparaient* de plus en plus dans la réalité de l'usage parlé. Du treizième au quinzième siècle (il y aura une réaction au seizième, avec Ronsard en particulier), la manie étymologisante se déchaîna, au point que certains pensent

que les copistes, payés à la page, en rajoutaient pour gagner plus d'argent! Certaines graphies inspirées du latin sont d'ailleurs erronées, comme *poids,* qui ne vient pas de *pondus* mais de *pensum.*

Comme : Encore
pas fini (et édiFile ?

Histoire d'E

Les Espagnols et les Italiens ont bien de la chance : ils n'ont qu'un seul son /E/ dans leur langue (comme le latin autrefois). Pour eux, la lettre *E* est sans problème.

En français, /E/ constitue une famille de sons. Nous avons cinq variantes de /E/, qu'on entend respectivement dans *arm*é, dans *mère*, dans *me*, dans *meuh*, dans *meurt*. Sans oublier le /E/ allongé que signale l'accent circonflexe : celui-ci permet à certains locuteurs d'opposer (pour combien de temps encore ?) *belle* (è bref) à *bêle* (è long) dans :

MAIS QUE JE SUIS BÉÉÉLLE !

La belle brebis bêle

Cette diversité des /E/ est un véritable casse-tête pour l'écriture. Les « accents » (aigu, grave et circonflexe) que nous connaissons aujourd'hui ont été introduits très tardivement. Le doublement de la consonne suivante *(celle)* a longtemps joué le rôle de l'accent grave. Ceci explique les variantes *ficelle* (nom) et *ficèle* (verbe), dont la prononciation est identique.

Le circonflexe est venu remplacer un *S* disparu. On en voit la trace dans la relation entre *forêt* et *forestier, arrêt* et *arrestation*. Quant aux « digrammes » et « trigrammes » *eu, œu, ai, ei,* ils proviennent le plus souvent d'anciennes « diphtongues » ou enchaînements de voyelles distinctes qui ont fini par se prononcer d'une seule émission de voix.

La lettre *E* est omniprésente. Le *E* sous toutes ses formes est de loin la lettre la plus fréquente dans n'importe quel texte français. C'est pourquoi le jeu de Scrabble en contient quinze exemplaires.

Le jeu du *lipogramme*, qui consiste à écrire un texte en se privant délibérément d'une lettre de l'alphabet, est donc particulièrement difficile dans le cas de *E*. Georges Perec a réalisé cet exploit dans *La Disparition*.

Écrire sans *E*, c'est se priver d'un grand nombre de « mots outils » indispensables comme *me, te, se, le, les,*

J'AI ESSAYÉ DE FAIRE UNE OMELETTE SANS, C'EST PAS FACILE !

mes, une, etc., c'est limiter l'emploi du féminin, des verbes du premier groupe, etc. Car, plus qu'une simple lettre, *E* est aussi un *signal* grammatical.

Mais *E* est par nature évanescent et instable, toujours prêt à disparaître dans la prononciation. *E* est dit *muet* en fin de mot (son seul rôle est de faire sonner la consonne précédente) et *caduc* (c'est-à-dire « prêt à tomber ») en milieu de mot ou à la frontière de deux mots.

Je ne sais pas devient ainsi *Je n'sais pas* ou bien *J'sais pas,* pour se réduire finalement à *Chépa.*

Paradoxalement, en français, un mot qui se termine à l'oral par une voyelle se termine le plus souvent à l'écrit par une consonne muette (ex : *pot*), tandis qu'un mot qui se termine par une consonne orale s'écrit généralement avec un *E* muet final (ex : *pote*). Si bien que le rôle des consonnes et des voyelles apparaît rigoureusement inversé. C'est le résultat de l'usure qui a atteint progressivement dans la langue parlée toutes les fins de mots.

On notera que l'écriture en majuscules supprime les distinctions entre différents *E* sans que la compréhension soit vraiment en danger. De fait les accents ne sont pas d'une importance vitale pour la lecture, sauf en fin de mot où *é* doit pouvoir être distingué de *e* muet. Ainsi M. Augé, lorsque son nom est écrit en majuscules, risque fort de s'entendre appeler M. Auge.

Comme les autres voyelles, /E/ possède une variante nasale, qu'on entend dans *mien*. Cette voyelle, dont les

27

origines dans notre langue sont très diverses, est championne toutes catégories pour la variété de ses graphies. Les plus courantes sont EN (qui se prononce aussi /AN/) et IN. Le lecteur pourra s'amuser à retrouver les autres.

Devinette : Trouver les vingt-quatre manières d'écrire /E/ nasalisé.

Solution : IN (vin); IM (imbu); INT (vint); INCT (instinct); ING (poing); INGT (vingt); EIN (rein); EINT (ceint); EING (seing); HEIN (hein); AIN (pain); AINT (saint); AING (parpaing); AIM (daim); AINC (vainc); EN (moyen); ENT (contient); YM (thym); YN (synthèse); HUN (Hun) EUNG (Meung-sur-Loire); UN (un); EUN (jeun); UM (parfum). (Les cinq dernières concernent la prononciation du Nord de la France, qui ne différencie plus *in* et *un.*)

Comme : Frimeur !

Histoire de F

Sans *F* où irions-nous ? Pas de *f*rançais sans lui.

/F/ est pourtant une consonne peu fréquente dans notre langue, nettement moins que sa jumelle /V/, avec laquelle elle alterne volontiers comme dans *neuf/neuve*.

/F/ et /V/ se prononcent en rapprochant les lèvres, sans toutefois les fermer complètement comme dans le cas de /B/ ou /P/, si bien que l'air passe avec un bruit de friction. D'où leur nom de « fricatives ».

Si on prononce un /P/ accompagné d'un souffle, on produit un son qui ressemble beaucoup à /F/. C'est ce qui explique la présence du groupe *PH* dans les mots savants, d'origine grecque. Le grec possédait en effet un /P/ aspiré, que l'oreille latine, puis française, a assimilé à /F/, mais que l'orthographe, toujours conservatrice, distingue encore aujourd'hui.

Faut-il écrire *fantasme* ou *phantasme* ? Faut-il continuer à distinguer entre un *philtre* (d'amour) et un *filtre* (à café) ? Faut-il ou non remplacer *PH* par *F* ? C'est ce qu'ont fait les Italiens et les Espagnols. Ils écrivent, oh sacrilège ! *telefono* pour *téléphone*. Voltaire, quant à lui, ne se gênait pas pour écrire *filosofe*.

La majorité des Français sont contre. Ils tiennent à conserver leur *PH*. Pourquoi ? Parce qu'un mot écrit est une image, qui montre beaucoup plus que les sons du mot parlé. Cette image raconte l'histoire du mot, ses liens avec des langues anciennes ou modernes, proches ou éloignées. Un texte est un paysage de mots, qui sollicite avant tout l'œil, à tel point que souvent, pour contrôler l'orthographe d'un mot, il nous faut « le voir écrit », c'est-à-dire vérifier la conformité de son image.

Comme : Gourmand
le GéGé !

Histoire de G

Avec *G,* autre agent double et fauteur de troubles, nous retrouvons le même désordre qu'avec *C.*

Rien d'étonnant, puisque *G* était en latin la sœur jumelle (et même siamoise) de *C.*

Le tracé de *G* a été créé à partir de *C* par addition d'une barre. En effet, dans l'alphabet primitif, *C* notait à la fois les sons /K/ et /G/.

En latin, de même que *C* était toujours prononcé /K/, *G* était toujours prononcé « dur », c'est-à-dire comme dans le français *gare,* même devant *E* et *I.* Le mot *gens* par exemple, se disait [guèns].

AVEC MOI, FINI LE DÉSORDRE ! LE G DUR DE GOURDIN, J'EN FAIT UN G DOUX, COMME GENTIL !

En ancien français, /G/ s'est « adouci » devant *E* et *I* et a fini par se prononcer /DJ/ puis /J/, un son inconnu en latin et pour lequel il n'existait donc pas de lettre. On prononçait /jens/ mais on continuait à écrire *gens.*

31

Malheureusement, la lettre *J*, issue de *I*, est une innovation tardive (elle ne s'est imposée qu'au dix-huitième siècle). Entre-temps, l'habitude avait été prise de donner à *G*, comme à *C*, une valeur différente selon la voyelle qui suivait. Si on avait pu opposer tout de suite *G* à *J,* on aurait évité le recours à des « lettres-signal » comme *U* devant *E* et *I* (**gu**ère s'écrirait **g**ère), et *E* devant *A* et *O* (**Ge**orges s'écrirait **J**orje).

En conservant *G,* prononcé /J/, on maintient une fois de plus (pour l'œil) le lien étymologique entre le français et le latin.

Un *G* muet a été introduit artificiellement dans certains mots afin de souligner leur origine latine. Par exemple dans le mot *doigt* où le *G* rappelle le latin *digitum,* qui a donné *digital* ou encore dans *vingt,* où l'on retrouve le *G* du latin *vigenta* et de *vigésimal.*

C'est pourquoi on dit que l'orthographe française est avant tout *idéographique* (elle est conçue pour l'œil) et *intellectuelle* (elle s'adresse à l'esprit, elle renvoie à un savoir sur la langue).

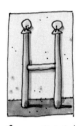

Comme: Holala!
c'est haut!

Histoire de H

H est une lettre fantôme, un courant d'air.

Certaines lettres se lisent de plusieurs façons, comme *C* et *G*; d'autres font double emploi, comme *J* ou *Y*, ou comptent pour deux, comme *X*. *H* ne se lit pas du tout. C'est une lettre signal. Et elle signale des choses variées, parfois de façon fantaisiste.

Les noms des autres consonnes nous donnent à *entendre,* grâce à une voyelle d'appui, un son qui leur est propre. Le nom de la lettre *H* se prononce comme le mot HACHE. On n'y entend pas un son spécifique comme dans *Bé, Cé, Dé,* etc. On *voit* en revanche dans « hache » deux des valeurs de la lettre *H*. *H* est par excellence une lettre pour l'œil. Elle l'était déjà en latin.

Les Romains se servaient de *H* pour représenter le « souffle » qui accompagnait certaines consonnes grecques (le /P/, le /T/, le /K/). C'était là son emploi principal. Les Français ont repris cette tradition avec les groupes *PH, TH* et *CH* (et, de façon marginale, *RH*). En ancien français, il existait également un groupe *DH,* qui se prononçait comme le *TH* anglais dans *this*.

33

Seul *CH* correspond pour nous à un besoin, puisqu'il note une nouvelle consonne, propre au français. *PH* fait double emploi avec *F*. Quant à *TH,* il est purement étymologique et décoratif. Il signale l'origine grecque d'un mot. Tant que l'orthographe n'a pas été fixée, c'est-à-dire en gros jusqu'à la fin du dix-huitième siècle, l'usage de *TH* (et de *RH*) est demeuré très fluctuant. *Rythme* pouvait s'écrire aussi *rhytme* ou *rhythme,* ou encore *rytme* ou *ritme.* Heureux temps !

Ce qui est sûr, c'est que si l'on se décidait à éliminer *PH* au profit de *F*, il serait impossible de conserver un *H* parasite après *T* et *R*. C'est tout le stock de mots grecs qui devrait être réformé.

Autre emploi : le *H* faussement nommé « aspiré » au début du mot. En fait, il n'aspire à rien d'autre qu'à interdire la liaison et à conserver au mot son autonomie.

Tout irait bien si l'emploi de *H* « aspiré » était régulier. Ce n'est pas le cas ; d'innombrables mots commençant par un *H* autorisent la liaison : il s'agit généralement de mots d'origine grecque ou latine auxquels s'ajoutent certains mots commençant par /UI/ comme *huit* (on en reparlera à la lettre *U*). Les mots comportant un *H* aspiré sont au contraire d'origine francique, c'est-à-dire germanique (et il y en a plus qu'on ne pense). Mais quel écolier aujourd'hui sait distinguer un mot germanique d'un mot grec ou latin ?

Il n'existe donc pas de règle fiable : on dit *la ≠harpe* mais *l' harmonica, le ≠haricot* mais *l' huile,* etc.

Mieux encore : on dit *un héros* (sans liaison), mais *une (h)éroïne* (avec liaison), ce qui permet de dire au pluriel *des-z-(h)éroïnes* mais évite de dire *des-z-(h)éros,* ce qui serait fâcheux.

Ce qui aggrave la confusion, c'est que dans certains cas

(en particulier les chiffres) l'absence de liaison *n'est pas* signalée par un *H*. On dit : *le onze* et non *l'onze*.

Enfin, le *H* fait concurrence au tréma pour séparer deux voyelles que l'on risquerait de lire comme une seule, c'est-à-dire comme un digramme ; par exemple dans : *cahin-caha, une cahute, le chahut, le bahut, tohu-bohu*. *H* a ici un rôle « anticoagulant ».

Accessoirement, *H* orne le *K* ou le *G* dans quelques mots étrangers comme *khan* ou *yoghourt*, dont l'orthographe n'est d'ailleurs pas fixée.

Comme : *Impossible* quand on est ivre.

Histoire de I

I et *J,* sœurs siamoises, ont été tardivement séparées l'une de l'autre. C'est pourquoi elles se pressent l'une contre l'autre dans l'alphabet, bien que l'une soit voyelle et l'autre consonne.

I, lettre simple et droite, ne présente aucun volume, aucune courbe. C'est la plus étroite, la plus discrète des voyelles. Le dessin de la lettre *I* est particulièrement bien adapté au son qu'elle représente. /I/ est la voyelle la plus fermée, la plus aiguë, la plus « pointue » de notre système. Elle forme un contraste maximal avec /A/, la voyelle la plus ouverte. D'où une tendance inconsciente à associer à /I/ l'idée de petitesse et à /A/ l'idée de grandeur.

HiHi, c'est le rire aigu, à bouche presque fermée, lèvres étirées, alors que *HaHa* représente un rire gras, à gorge déployée. *CuiCui,* c'est le pépiement des petits oiseaux. *WaWa,* l'aboiement du chien qui ouvre grande la gueule.

La lettre *I* est généralement considérée comme une voyelle. Pourtant, dans bien des cas, elle joue phonétiquement le rôle d'une consonne, par exemple dans *pied.* Parfois, la lettre *I,* bien qu'écrite une seule fois, se lit successivement comme une voyelle puis comme une consonne. C'est le cas dans *prier,* prononcé /pri-yé/.

Le circonflexe sur *I* est, une fois de plus, la trace d'un *S* disparu : *île* s'écrit encore *isle* dans les noms de lieu comme *L'Isle-Adam.* Le tréma est, comme *H,* un anticoagulant ; il a pour rôle de séparer *I* de *A,* dans *maïs* par exemple (mais dans *pays,* on a préféré mettre un *Y*).

A l'origine, l'alphabet latin ne comportait que des majuscules, et le *I,* non plus que le *J,* n'était pas pointé. Lorsque l'écriture cursive se développa, avec l'emploi des minuscules, le *I* se distinguait mal des pointes formées par les *U,* les *M* et les *N.* Vers le dixième siècle, on introduisit le point sur le *I* afin de faciliter la lecture. C'est là l'origine de l'expression « mettre les points sur les *I* ».

Comme : J'ai jamais
rien pris.

Histoire de J

En latin, *I* et *J* formaient des variantes d'une seule et même lettre à double valeur phonétique. Après une consonne, *I/J* était une voyelle, devant une autre voyelle, c'était une « semi-consonne » qui sonnait comme notre *Y* dans y*eux*, ou notre *I* dans *bière ou pied.*

En ancien français, *I/J* consonne avait changé de prononciation, en particulier au début des mots. Le son /Y/, consonne « mouillée », s'était mis à « chuinter », devenant ainsi notre /J/, son inconnu en latin (tout comme sa jumelle « sourde » /CH/). On continuait pourtant à écrire *iuste, ieter* et *iadis,* alors qu'on prononçait désormais [just], [jeté] et [jadis].

C'était extrêmement incommode à la lecture. La scission des deux lettres à la Renaissance a donc été une excellente innovation. Il a fallu deux siècles pour qu'elle se généralise dans l'imprimerie et soit entérinée par l'Académie française. C'est pourquoi les livres imprimés avant la fin du dix-huitième siècle sont pour nous d'une lecture difficile. Malheureusement, seuls les /J/ issus du son /Y/ du latin ont bénéficié de la réforme. Ceux qui provenaient de l'adoucissement de /G/ dur ont continué à s'écrire *G*. C'est pourquoi nous écrivons aujourd'hui le son /J/ de trois façons différentes : *J, G* et *GE*. Conséquence : la lettre *J*, pourtant merveilleusement univoque, est nettement sous-utilisée par rapport au son qu'elle représente, ce qui en fait une lettre chère (indice 8) au Scrabble.

J s'emploie surtout au début du mot. La raison en est simple : les Romains utilisaient la variante *J* dans cette position plutôt qu'en milieu de mot. Issue de *I, J* ne peut pas précéder ni *I* ni *Y*, sauf dans les emprunts anglais.

Comme : K K !

Histoire de K

Longtemps lettre maudite, *K* est devenu une lettre exoti**K**, depuis que le *kilo*, le *képi*, le *koala*, le *klaxon*, le *kirsch*, le *kiwi*, le *kaki* et le *kitsch* sont entrés dans nos mœurs, et donc dans la langue.

Les Romains avaient emprunté le *K* à l'alphabet grec *(kappa)*. Comme il faisait double emploi avec leur *C,* ils ne l'ont que très peu utilisé.

L'alphabet français aurait gagné à adopter *K* pour éviter les problèmes créés par *C,* devenu ambigu, et faire l'économie de *Q*. De plus, si on avait remplacé tous les *C* latins par *K* ou *S*, on aurait pu garder *C* pour jouer le rôle de *CH*. Il aurait fallu pour cela une politique volontariste de l'alphabet et de l'orthographe, une réunion d'experts qui auraient traité les problèmes globalement. Or, notre système s'est forgé au coup par coup, par rapiéçages successifs, sans vision d'ensemble. Au lieu d'intégrer *K*, les scripteurs d'autrefois ont préféré garder tous les *C* du latin et bricoler des signes de reconnaissance compliqués.

Voilà pourquoi la lettre *K* est restée rare et ne s'emploie que pour écrire les mots étrangers. *K* porte l'indice 10 au Scrabble. Longtemps d'ailleurs, les imprimeurs n'ont pas eu de *K* dans leurs casses, si bien que des mots comme *kopeck* ou *kapok* s'écrivaient au dix-septième siècle *copec* et *capoc, kimono* s'écrivant *quimono*.

Pourtant, si on essaie de remplacer par *K* tous les *C* qui sonnent /K/ et tous les *Q* (sans compter les *X* qui sonnent /KS/), on s'aperçoit que c'est un des sons les plus répandus dans la langue française. Le son /K/ est numéro 7 dans l'ordre de fréquence. C'est dire combien la lettre *K* aurait pu changer le visage du français écrit.

C'est, paradoxalement, la chance des peuples venus tard à l'écriture que d'avoir pu constituer leur alphabet d'un seul coup, sur des bases scientifiques, évitant ainsi les cafouillages du français.

Comme : Lulu, ton lacer !

Histoire de L

/L/, consonne ailée, à la fois fluide et aérienne, occupe avec sa cousine /R/ une place à part. On les appelle consonnes « liquides ». Elles ont une affinité spéciale avec les voyelles et s'épèlent d'ailleurs avec une voyelle devant (*El, Er*) et non derrière. Dans de nombreuses langues (en anglais, en tchèque, etc.), /L/ et /R/ peuvent être « sommet de syllabe », une place qui est normalement dévolue aux voyelles.

SI ELLES SONT LIQUIDES, JE VEUX BIEN EN ESSAYER UNE !

En français, /L/ s'est fréquemment « vocalisé ». C'est ainsi que sont apparus les pluriels irréguliers comme *cheval/chevaux*. De même le son /OU/ provient très souvent de /OL/.

/L/ et /R/ paraissent être des sons très différents. Pourtant, un enfant français met plus de temps à les différencier que les autres consonnes. D'ailleurs, dans certaines langues, notamment asiatiques, /R/ et /L/ sont des variantes du même son.

/L/ (comme /R/) a tendance à phagocyter les autres consonnes. Devant un mot commençant par *L*, le préfixe négatif *in-* devient *il-*, le préfixe *ad-* devient *al-*. Ainsi on dit *incassable* mais *illisible, admettre*, mais *alléguer*.

Contrairement à la plupart des consonnes, la lettre *L* n'est pas muette en fin de mot. Sauf après /I/, où /L/ a tendance à s'affaiblir comme dans *il* ou *fusil*.

Comme : Mince c'est
encore le moteur !

Histoire de M

Quelle langue pourrait se passer de /M/?

/M/ est la consonne d'enfance par excellence. On l'entend dans *aime* et dans *mère*. La lettre *M* porte deux mamelons évocateurs.

/M/ est aussi le seul son qu'on puisse émettre en gardant la bouche fermée. Le /M/ se *murmure*, la vache fait *meuh*, la mer *mugit*, une personne qui a tendance à parler sans ouvrir grande la bouche *marmonne*. Quand on hésite on fait *hum*. L'enfant gourmand fait *miam*. Le bébé fait *mmm* en tétant sa mère bien avant de s'en servir pour former le mot *maman*. On a pu montrer d'ailleurs que le mot *maman* commence par /M/ dans un grand nombre de langues.

On articule /M/ en serrant les lèvres l'une contre l'autre et en les relâchant brusquement. /M/ forme ainsi avec /P/ et /B/ le trio des consonnes « labiales », les plus fondamentales dans tout système phonétique. Mais contrairement à ce qui se passe dans le cas de /B/ et /P/, l'air s'échappe librement par le nez. C'est ce qui fait de /M/ (et de sa cousine /N/) une consonne nasale. Voilà qui

explique pourquoi, quand on est enrhu*mé*, on dit : « Je suis enrhu*bé* », car le nez est bouché et ne laisse plus passer l'air.

Il n'existe pas de langue sans consonnes nasales alors que les voyelles nasales sont au contraire assez rares.

Proche de /N/, /M/ l'assimile volontiers : le préfixe *in-* devient *im-* comme dans *imminent* et *immobile*. C'est l'origine de la plupart des *M* doubles. C'est l'affinité de /M/ avec /P/ et /B/ qui explique que la lettre *N* est remplacée par *M* devant *P* et *B* comme dans *embrun* et *lampe*. Pour une fois, une règle orthographique s'explique par la phonétique.

Un *M* final n'est prononcé séparément que dans les mots étrangers : *album, islam, tam-tam, zoom, idem,* etc.

Comme : Non ! Pas
toi Norbert !

Histoire de N

/N/ est à la fois la consonne du *nez* et celle des *dents*.
Deuxième consonne nasale, /N/ forme avec /T/ et /D/ le
trio des occlusives **DENTALES**, qui s'articulent d'une
pression de la langue contre les dents.

On retrouve effectivement T, D, N dans le mot *dent* et
ses dérivés, en français et dans de nombreuses langues.
(Mais ce n'est pas une règle universelle.)

D'autre part, le nom du *nez* commence par /N/ dans les
langues de l'Europe et dans beaucoup
d'autres.

/N/ fait partie des consonnes de
base du français, celles qui sont
restées stables dans l'évolution de
la langue depuis le latin et qui ne
devraient donc pas poser de problèmes d'orthographe particuliers. Malheureusement pour les écoliers, la lettre *N*
redouble de façon anarchique. Dans les mots
d'une même famille le *N* est double dans les
mots de formation populaire, c'est-à-dire

À FORCE DE NE PAS SAVOIR
QUAND IL REDOUBLE, C'EST
MOI QUI REDOUBLE ! J'AI LA
HAINE CONTRE LE N !

propres au français, et simple dans les dérivés savants formés directement sur le latin. C'est pourquoi on écrit
sonore, supersonique, mais *consonne* et *sonner.* L'expli-
cation de cette anomalie est fort simple. A l'époque où les
voyelles ont commencé à se nasaliser, on prononçait
/ON/+/N/ dans des mots comme *sonner* ou *sonnette.* Le
premier *N* appartenait à la voyelle et le deuxième se prononçait à part. Le redoublement était indispensable. Puis
progressivement les /ON/ sont redevenus /O/ devant un
/N/ suivi d'une voyelle : *sonner* se prononce [soné] et non
plus [son-né]. Ainsi, par rapport à notre prononciation
moderne, un seul *N* suffit, tout comme en latin. C'est un
des rares cas où une règle orthographique *contredit* l'étymologie.

latin		français	
	sonum		*son*
	sonore		sonner
	supersonique		consonne
	sonothèque		sonnerie
	sonomètre		sonnette

latin		français	
	donum		*don*
	donation		donner
	donateur		donneur
	donataire		s'adonner

Si on voulait mettre de l'ordre dans les consonnes
doubles on pourrait commencer par là.

Comme : Ô rage,
Ô désespoir, euh...

Histoire d'O

O est la lettre qui ressemble le plus à sa prononciation. En effet, en disant /O/, la bouche s'arrondit. Selon que l'on avance plus ou moins les lèvres on prononce un /O/ « fermé », celui de *paume,* ou bien « ouvert », celui de *pomme.*

Un très grand nombre de mots français se terminent par le son /O/. Pourtant, seuls les mots tronqués comme *stylo* ou *dactylo,* ou étrangers comme *soprano* et *numéro* admettent *O* comme dernière lettre. *O* est toujours « protégé » par une consonne muette (*broc, trot, trop,* etc.) ; celle-ci réapparaît dans la liaison, au féminin et dans les mots dérivés.

Il n'existe que trois mots français composés d'une seule lettre : *a, à* et *y.* Il existe par contre un assez grand nombre de mots composés oralement d'une seule voyelle. Les différents mots qui se disent /O/ se distinguent par l'orthographe :

haut, au(x), aulx (pluriel de *ail*), *eau(x), os* (pluriel), *oh, ho.*

MOI, HISTOIRE D'O, C'EST CELLE QUE JE PRÉFÈRE !

Aucun ne s'écrit *O* (si l'on excepte la variante *ô !* de *oh !*).

Les *homophones* – mots qui se prononcent de la même façon mais ont un sens différent – s'écrivent le plus souvent différemment. L'orthographe française repose sur deux principes :

1) Une même suite de sons formant un mot oral peut toujours s'écrire de plusieurs façons différentes : à vous de choisir la bonne ! C'est la base de nombreux jeux de mots (rébus, charades, calembours, etc.).

2) Un mot écrit comporte presque toujours plus de lettres que le mot oral ne comporte de sons. La correspondance une lettre = un son est l'exception alors qu'elle devrait être la règle.

En moyenne, un mot écrit fait 4 à 5 lettres, un mot oral de 2 à 3 sons.

Ainsi :

bonne : 3 sons, 5 lettres ;

maison : 4 sons, 6 lettres ;

femme : 3 sons, 5 lettres ;

houx : 1 son, 4 lettres, etc.

Pourquoi une voyelle aussi simple que /O/ s'écrit-elle de façon si compliquée ?

Une seule lettre *O* aurait pu suffire. En effet, la distinction entre le /O/ ouvert de *pomme* et le /O/ fermé de *paume* n'est pas vitale ; elle n'est pas respectée par tout le monde, en particulier dans le Midi de la France. En outre, nous n'utilisons pas systématiquement l'opposition entre

O et *AU*/*ô*. Ainsi, par exemple *Paul* et *Paule* s'écrivent avec *AU*, *sort* et *saur* se prononcent de la même façon, *zone* s'écrit sans circonflexe et *cône* avec, etc.

C'est que l'orthographe garde la trace de prononciations anciennes. Le circonflexe, comme pour toutes les voyelles, signale un S disparu. Quant au groupe *AU*, il se prononçait au Moyen Age comme une diphtongue (et sa variante *EAU* comme une triphtongue).

Parfois, les variantes orthographiques de /O/ ont été exploitées pour renforcer une différence de sens artificielle comme dans *cuissot* (de chevreuil) et *cuisseau* (de veau), piège classique des dictées.

Exercice d'application : écrire *orthographe* de toutes les façons possibles, ou « Comment faire un maximum de fautes ? »

(Le résultat se lit toujours de la même manière.)

Aurthographe (*aur* comme dans *saur*)

ortaugraphe (*tau* comme dans *taux*)

orteaugraf (*teau* comme dans *tourteau*)

hortographe (*hor* comme dans *horticole*)

horteaugraphe (voir plus haut)

ortograffe (*affe* comme dans *baffe*)

ortografe (*afe* comme dans *girafe*)

ortoograf (*oo* comme dans *zoo*, *af* comme dans *paf*), etc.

Comme: Poireauter
deux plombes.

Histoire de P

/P/, comme sa jumelle /B/, s'articule en serrant les
lèvres et en les ouvrant brutalement pour laisser l'air
s'échapper. Les onomatopées qui imitent des bruits de
chocs ou d'explosions commencent fréquemment par des
occlusives, particulièrement /P/ et /B/:

pim, pam, poum, bing, bang,
boum, pif, paf!

/P/ est une des consonnes de base
dans les langues du monde, et on la
retrouve très fréquemment à l'initiale du mot *papa*, où elle vient
s'opposer à sa « cousine » nasale
/M/ de *maman*.

> C'EST VRAI ÇA, QUAND
> IL M'A OUVERT LES
> LÈVRES, J'AI ENTENDU
> TOUT ÇA DANS MA
> TETE!

Nombre de *P* muets sont des
signaux étymologiques. Ainsi
dans *compter*, le *P* a été rajouté au treizième siècle par des
scribes zélés (en même temps on transformait le *N* en *M*).
Avant, on écrivait *conter ses sous* comme *conter une histoire*, car il s'agissait d'un seul et même verbe, provenant

53

du latin *computare,* « calculer ». Cet éclatement du sens du latin *computare* se retrouve d'ailleurs en anglais, où *tell* veut dire également « compter » et « conter ». Le retour à la source latine a permis de séparer deux significations désormais perçues comme totalement dis-

tinctes en créant artificiellement deux verbes homophones. Le rôle discriminant de l'orthographe s'en trouve renforcé. Les homophones *dessin* et *dessein* ont été séparés de la même manière. Tous deux viennent de l'italien *disegno.* Dans *dompter* (de *domitare*), le *P* a été rajouté par erreur, sous l'effet de l'analogie. Curieusement, la nouvelle orthographe a induit un changement de prononciation puisque certaines personnes, par hypercorrection, font sonner le *P.*

Comme: Qui c'était ?

Histoire de Q

Q est la lettre la plus malsonnante et donc la plus mal-séante de notre alphabet. Seul *K* lui dispute cette place.

Les noms des consonnes ne peuvent se prononcer sans une « voyelle d'appui », qui est en général *é*. Échappent à cette règle *Ji,* issu de *I* et qui se distingue ainsi de *Gé; Ka,* qui est l'abréviation du grec *kappa* et enfin *QU,* que les Romains prononçaient /KW/.

VOTRE HISTOIRE DE Q,
ON VA PAS EN FAIRE UN K !

Q n'apparaissait jamais sans *U* en latin. Il n'y a que peu d'exceptions à cette règle en français (*coq, cinq*).

Nous avons conservé la prononciation latine de *QU* dans les mots savants, *quadragénaire* ou *aquatique,* par exemple. Mais, dans la plupart des cas, le groupe *QU* ne représente plus que le son /K/. Il s'oppose à *C* devant *E* et *I* (*que* et *qui*), mais fait double emploi avec *C* devant *A* et *O.* On écrit *quatre* avec *QU* et *cahier* avec *C,* alors que les deux mots viennent du latin *quattuor.*

Bien que suivi de la lettre *U, Q* n'apparaît jamais devant le *son* /U/. Seule exception : *piqûre.*

-QUE s'est spécialisé pour noter le son /K/ final, là où le latin utilisait *C* (dans *-cus*) et le grec *K* (dans *-kos*). Quelques exceptions : *laïc* (nom) qui s'oppose à *laïque* (adjectif), *public* (nom et adjectif masculin) qui s'oppose à *publique* (adjectif féminin), *fisc, syndic,* etc.

Comme: Reposer
ses rondeurs

Histoire de R

/R/, consonne spécialement difficile à articuler, parce qu'elle fait vibrer le gosier, est néanmoins numéro 1 dans l'ordre de fréquence des sons de notre langue (sa cousine /L/, autre « liquide », étant numéro 2). C'est le son que les étrangers ont le plus de mal à maîtriser, et qui se prête le mieux à la caricature.

Roulée, grasseyée ou chuintée, /R/ est la consonne la plus variable et la plus instable qui soit. Les Français prononcent un /R/ différent suivant les régions (le /R/ bourguignon, parigot, etc.), et le /R/ des langues étrangères (anglais, espagnol, russe, par exemple) est pour eux redoutable. Pourtant, ces différentes formes du /R/ sont perçues comme étant fondamentalement « le même son ». Certaines langues n'ont pas de /R/ du tout, ce qui a pu faire croire, à tort, que les peuples qui parlent ces langues étaient incapables génétiquement de produire ce son.

IL Y A RHUM, MAIS LUI, IL EST TRAÎTRE!

Ornée à l'occasion d'un *H,* dans les mots d'origine grecque, la lettre *R* n'est pourtant pas trop traître.

En règle générale, les consonnes doubles du français se prononcent comme une seule, sauf effet d'emphase comme dans *im-mense !* Le *R* double fait exception puisqu'il est détaché dans les formes de futur ou de conditionnel comme *je cour-rai, je cour-rais.*

R muet est la marque de l'infinitif dans les verbes du premier groupe, en *-ER. R* final était autrefois également muet dans les verbes en *-IR.* On disait *mouri* pour *mourir* au dix-septième siècle. Puis la prononciation du *R* final a été rétablie. A la fin des mots autres que les verbes, *R* (comme *L)* est normalement prononcé.

Comme : Souris
Sournoise

Histoire de S

Pour qui sont ces serpents qui sifflent …

C'est vrai que *S* ressemble au serpent qui siffle. Il arrive ainsi que la *forme* des lettres apparaisse comme l'imitation du *son* qu'elles représentent.

/S/ forme avec sa sœur jumelle /Z/ le couple des consonnes *sifflantes*. Comme pour /D/ et /T/, la langue vient frapper les dents, mais l'air s'échappe de façon continue en produisant une friction.

La lettre *S* en français correspond aux deux sons /S/ et /Z/. La raison en est que le latin n'avait pas de son /Z/.

L'imbroglio provoqué par le mauvais emploi de *C* et de *K* a eu des conséquences sur *S*. Le son /S/ s'écrit aussi *SS, C, Ç, T (révolution, démocratie)* et, plus rarement, *X (dix)*.

Le son le plus proche de /S/ la sifflante est /CH/ la chuintante (pour articuler /CH/ la langue s'avance vers le palais au lieu des dents). Beaucoup d'enfants (et même de plus grands) n'arrivent pas à les séparer : ils zozotent ou zézaient. Il est de tradition dans le folklore des écoliers de faire fourcher la langue avec les « chaussettes de l'archiduchesse » et les « chasseurs sachant chasser ». Les

Auvergnats ont tendance à chuinter les /S/.

S muet a une place de choix dans la langue écrite comme marque du pluriel. Ce *S* n'a pas toujours été muet. Il s'est affaibli comme toutes les consonnes finales du français. Dans la langue parlée, grâce à la liaison, le *S* de pluriel, prononcé /Z/, réapparaît devant une voyelle : *des-z-enfants.*

CH'EST VRAIMENT PAS FACHILE DE CHIER AVEC CHA!

Le *S* muet est une source intarissable de fautes d'orthographe : un *S* qu'on n'entend pas est facile à oublier dans une dictée. Pourtant, globalement, la règle du pluriel est *plus simple* dans la langue écrite que dans la langue parlée, puisqu'elle traite tous les mots de la même façon. En effet, à l'oral, on entend /Z/ soit au début du mot : *les-z-enfants,* soit à la fin : *les garçons-z-et les filles,* soit aux deux bouts : *les-z-enfants-z-et les grands,* soit pas du tout : *les filles.* Alors qu'à l'écrit, il suffit de mettre *S* partout. Les petits enfants qui apprennent à parler mettent beaucoup de temps à identifier correctement les marques de pluriel et persistent longtemps à faire ce qu'on appelle des « fausses coupes » comme *un zoiseau.*

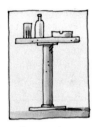

Comme : Treize
balles le café...

Histoire de T

Avec *T* on peut être à tu et à toi. Lettre sans grand mystère, elle représente assez fidèlement le son /T/.

Encore une consonne simple. Jumelle « sourde » de /D/, cousine de /N/, /T/ complète le trio des dentales.

Les Alsaciens ont tendance à assourdir la prononciation

MES TROIS AMOURS,
ON PARLE TE VOUS !

des consonnes sonores ; /D/ semble alors se confondre avec /T/ comme le montre la charade suivante :

Mon premier, il a tes tents ;
Mon deuxième, il a tes tents ;
Mon troisième, il a tes tents ;
Mon tout, il vous mord comme s'il avait tes tents.
(Réponse : *Jalousie = chat-loup-scie*)

Comme la plupart des consonnes, la lettre *T* est normalement muette en fin de mot , où elle assure la « couver-

ture » des voyelles finales. Elle est souvent prononcée dans les mots d'une seule syllabe (*mat, huit, net, dot,* etc.) ou se terminant en *-ct, -st, -pt*. D'où une difficulté supplémentaire pour les écoliers, habitués à mettre un *E* muet après une consonne qui s'entend.

Lorsqu'il est double, *T* n'offre pas de pièges. Ou bien le premier *T* appartient à un préfixe (*at-tendrir*), ou bien le groupe *TT* signale que la voyelle précédente est ouverte (et brève) comme dans *bette, botte*.

T se paye le luxe d'un *H* dans de nombreux mots d'origine grecque.

Comme : Ultra souple

Histoire d'U

U et *V*, tout comme *I* et *J*, sont des sœurs siamoises, longtemps traitées comme de simples variantes calligraphiques d'une seule et même lettre correspondant à deux sons différents : en latin, puis en français jusqu'à la Renaissance, on écrivait généralement *V* au début des mots et *U* au milieu.

En latin, ni le son /V/ ni le son /U/ du français n'existaient. La lettre *V/U* sonnait comme la voyelle /OU/ du français. Devant une autre voyelle, elle devenait /W/. La même lettre se lisait donc tantôt comme une voyelle (devenue notre /U/), tantôt comme une consonne. C'est-ce /W/ du latin qui a évolué vers notre /V/. Ainsi *villa*, prononcé [WILLA] a donné *ville* ; *vacca,* prononcé [WAKKA] est devenu *vache*.

Parallèlement, certains /O/ du latin se transformaient en /UI/ comme dans *nuit* (du latin *nox, noctis*) et *(h)uit* (de *octo*), etc.

Résultat : dans l'écriture du Moyen Age, *huile* s'écrivait comme *vile, huit* s'écrivait comme *vit, huis* comme *vis* et *huître* comme *vitre*. Ce qui ne manquait pas de poser des problèmes de lecture. Au treizième siècle, on eut l'idée de placer un *H* devant *VI* prononcé /UI/. Ce *H* parasite a survécu à la scission de *U* et *V*. Ainsi, le *H* des mots qui commencent par *HUI* n'a rien d'étymologique. Exception : *(aujourd')hui* (de *hodie*).

Le son /U/, et plus encore le groupe /UI/, est très difficile à prononcer. Il existe dans peu de langues ; les enfants l'apprennent tardivement, et c'est souvent un cauchemar pour les étrangers. En effet pour prononcer /UI/, il nous faut, dans un même mouvement, arrondir puis étirer les lèvres au maximum.

Pendant que le son /OU/ du latin, que les Romains écrivaient *U*, devenait notre son /U/, de nouveaux /OU/ apparaissaient en français à partir de /O/ ou de /OL/. Au Moyen Age, on écrivait *U* pour les deux sons, ce qui n'était guère commode (*pour* et *pur* étaient confondus). Peu à peu, on prit l'habitude d'utiliser le groupe *OU*. C'est ainsi que s'est confortée l'habitude française de noter des voyelles simples au moyen de deux (ou trois) lettres. Confrontés au même problème, les peuples germaniques ont préféré opposer *U* à *ü*.

LUCETTE, ELLE AIMAIT PAS MON ACCENT, ELLE EST PARTIE JE NE SAIS PAS OÙ !

Le son /OU/, comme d'ailleurs les autres voyelles françaises, représente à lui seul plusieurs mots homophones, que l'orthographe distingue soigneusement :

ou, où, hou! houx, août, houe.

L'accent grave sur *où* est une astuce pour distinguer l'adverbe de lieu de *ou* conjonction de coordination. Dans une pièce célèbre de Beaumarchais, Figaro tire argument de l'absence de cet accent pour refuser d'épouser Marcelline.

Comme: Vandales!
Ah! Les vaches!

Histoire de V

A l'intérieur du mot, le problème *U/V* était inversé. Au Moyen Age, on écrivait *orfeure* pour *orfèvre*. Les scribes ont alors décidé d'ajouter un *B* muet devant *U* pour le faire lire *V;* d'où *orfebure*, où *BU=V*. Pourquoi un *B*? Tout simplement parce que, à l'intérieur du mot, /V/ français venait souvent d'un /B/ latin (en l'occurrence *faber*) et non d'un /W/ comme à l'initiale.

Beaucoup plus tard, entre le seizième et le dix-septième siècle, *U* et *V* ont été dédoublés en deux lettres distinctes. On a alors supprimé ce *B* inutile dans les noms communs mais on l'a parfois laissé dans les noms propres. Voilà pourquoi le nom *Lefèvre* s'écrit aussi *Lefebvre*. La variante *Lefébure* témoigne d'un oubli de la règle de lecture *BU=V*.

Si Jean-Marie AROUET LE J(eune) a pu choisir pour pseudonyme l'anagramme VOLTAIRE, c'est qu'au dix-huitième siècle encore la scission entre *U* et *V*, entre *I* et *J*, n'était pas totalement consacrée par l'usage.

Le lecteur se demande sans doute à ce stade qui sont les

responsables de l'état de notre écriture et de l'orthographe, qui a eu pouvoir de décision au cours de l'histoire ? La norme que nous connaissons depuis cent cinquante ans a mis environ dix siècles à se constituer par ajustements successifs sous l'action des copistes, des écrivains, de l'Académie française, mais aussi et surtout des imprimeurs.

En tant que lettre récente, *V* partage avec *J* le privilège de noter toujours le même son, alors que beaucoup d'autres lettres valent plusieurs sons. Pour la même raison, *J* et *V* ne sont jamais non plus ni muettes ni redoublées.

V est la plus parfaite de nos lettres. Elle n'induit jamais en erreur. Elle seule réalise à cent pour cent l'idéal : la correspondance absolue entre le son et la lettre (à l'exception de wagon). (*J* n'est malheureusement pas aussi parfaite car elle est en concurrence avec *G*.) C'est bien la preuve qu'il aurait fallu *inventer* un alphabet propre au français.

Une exception due à la liaison : devant une voyelle, le *F* de fin de mot se dit parfois /V/ comme dans *neuf ans* (mais pas dans *neuf années*). Ce qui vient nous rappeler que /V/ est la jumelle sonore de /F/.

Comme: Willy, c'est
le plus fort!

Histoire de W

Si nous avions adopté *W*, la face du français en aurait été changée.

Nous devons *W* aux peuples germaniques, qui l'ont inventé. Les Anglais l'ont utilisé dès le haut Moyen Age. Nous aurions été bien inspirés de l'emprunter nous aussi car si la lettre *W* reste des plus rares en français (elle est difficile à placer au Scrabble, où elle porte l'indice 10), le son /W/ est un des plus importants de notre langue. C'est la semi-consonne correspondant à la voyelle /OU/. Voilà pourquoi notre son /W/, à la différence de celui du latin qui s'écrivait *U/V*, se cache sous le déguisement de *OU* comme dans *oui*, un des mots les plus fréquents de la langue.

On le trouve aussi sous la forme de *OI*, comme dans *moi* et dans tous les mots en *OIN*. C'est seulement à la fin du dix-huitième siècle que *OI* est devenu /WA/. Avant *moi* se disait [moé] ou [mwé] et [mwa] était considéré comme vulgaire. /W/ hésite parfois entre sa valeur voyelle et sa valeur consonne, par exemple dans *louer*, qu'on peut prononcer en une ou en deux syllabes ([lwé] ou [lou-é]).

L'orthographe française n'a vraiment accepté *W* qu'au dix-neuvième siècle en empruntant massivement des mots à des langues étrangères, en particulier à l'anglais. *W* est alors entré dans le *Dictionnaire de l'Académie*. C'était bien évidemment trop tard pour s'en servir utilement. D'où son usage aberrant : *W* se lit /V/ dans les emprunts allemands comme *wagon*, *wisigoth* et *walkyrie*. Il se lit /W/ dans les emprunts anglais comme *watt* et *whisky*. Les mots étrangers transcrits au moyen du groupe *OU* au lieu de *W*, comme *ouistiti* ou *oued*, sont des emprunts très anciens, antérieurs à l'introduction de *W*.

UN JOUR, ON VA ÊTRE OBLIGÉ DE LEUR RENDRE TOUT ÇA ! EN TOUT CAS, MOI JE GARDE MON WHISKY !

La suite *U*, *V*, *W* constitue un trio étroitement lié à la fois par l'histoire de l'orthographe et par l'évolution phonétique. (*Double Vé* s'appelle *Vé* en allemand et *Double U* en anglais.)

Pour X raisons...

Histoire de X

X est un cas unique dans notre alphabet : c'est la seule lettre qui représente deux sons à la fois : /K/+/S/ = /KS/.

En général, c'est plutôt le contraire qui se produit. Un seul son est souvent écrit au moyen de deux, trois ou même quatre lettres.

Comme on dispose déjà de trois lettres pour écrire /K/: *K, Q, C,* et de trois autres pour écrire /S/: *S, C, Ç,* le X apparaît comme la plus inutile de nos lettres. Elle pourrait être justifiée comme abréviation du groupe /KS/, si elle avait toujours cette valeur. Malheureusement, X se lit aussi /Z/ comme dans *deuxième*, /G/+/Z/ comme dans *examen*, /S/ comme dans *dix*.

Et surtout X est, comme H, une grande muette. D'où nous viennent les X de *choux, cailloux, genoux* et autres *poux* ? ceux de *heureux, ceux, cieux*, de *chevaux, beaux*, etc.?

Au Moyen Age, les copistes utilisaient X pour représenter *U+S.* C'était une sorte de sténo, qui a fini par faire oublier son origine, si bien qu'on a éprouvé un beau jour le besoin de rajouter le U qui semblait manquer, tout en gardant X.

Ainsi, on a écrit d'abord *chevaus*, puis *chevax*, puis *chevaux*.

X fait partie des lettres qui ne se redoublent jamais. C'est le cas de toutes les consonnes « spéciales », c'est-à-dire :

– *J, V, W, Z*, qui n'existaient pas en latin ;

– *K*, qui, en français comme en latin, est sous-utilisé et traité comme une lettre étrangère ;

– *Q*, qui est toujours suivi de *U* ;

– *H*, qui ne correspond à aucun son ;

– *X*, qui correspond à un groupe de deux consonnes.

Si on met à part le cas de *N* et les redoublements qui jouent le rôle de l'accent grave *(jette, ficelle)*, les consonnes doubles sont *essentiellement* un héritage du latin. Or, en latin, elles se prononçaient séparément. Ce n'est pas le cas en français. On ne détache les consonnes doubles que dans un but d'insistance. Ce qui n'a aucun caractère systématique. Mais, en revanche, quelle formidable source de fautes d'orthographe !

Comme : Youpi!

Histoire d'Y

Devinette : Dans quelle lettre, à Athènes, les oiseaux pondent-ils ?

(*Réponse :* Dans un Y.)

I « grec », lettre préférée des copistes, a été longtemps considéré comme la « belle lettre » par excellence. Au Moyen Age, les calligraphes remplaçaient volontiers le *I* latin par *Y* pour faire plus joli. En outre, jusqu'à l'invention du point sur le *I,* l'usage de *Y* constitua un moyen commode d'éviter les ambiguïtés à la lecture (ainsi *ami* s'écrivait *amy* au Moyen Age).

C'est, semble-t-il, pour des raisons décoratives que l'on écrit *Y* à la fin des noms de ville comme *Issy* ou *Crécy,* et les noms propres comme *Marty* et *d'Indy.*

Dans les mots grecs, naturellement, le *Y* est au contraire étymologique. Avec cette restriction qu'en grec il se disait /U/ et non /I/.

Y est donc une lettre de luxe dans notre alphabet. Une de plus, qui s'ajoute à *H, K, Q, X* et *W.* Pour un alphabet déficitaire, se payer six lettres inutiles ou sous-utilisées est pour le moins paradoxal.

Pourtant *Y* aurait pu rendre de grands services, si on l'avait adopté pour écrire le son /U/ (comme en grec), ce qui aurait permis de garder la lettre *U* pour écrire le son /OU/ (comme en latin, en allemand, en italien, etc.).

On aurait pu aussi utiliser *Y* pour noter sytématiquement la semi-consonne /Y/ (comme en anglais) et réserver *I* pour la voyelle. On aurait évité la situation confuse que nous connaissons : la voyelle /I/ s'écrit tantôt *I* et tantôt *Y*; la semi-consonne /Y/ s'écrit tantôt *I (pied)*, tantôt *Y (yéti)*, tantôt *IL(LE) (ail, fille)*.

Comme : *Zut! J'ai raté le Z!*

Histoire de Z

Z, lettre zigzag, image de *S* en miroir brisé, nous vient du grec (où il notait le son /DZ/).

En latin, la consonne sifflante sonore /Z/ n'existait pas. *Rosa*, « la rose », se disait [rossa]. Les Romains n'employaient la lettre *Z* que dans quelques mots grecs. D'où sa place en queue de l'alphabet.

Le français, au contraire, possède un son /Z/, jumeau sonore de /S/. Mais la lettre *Z*, qui lui correspond normalement, reste sous-utilisée, une fois de plus à cause du poids de la tradition latine. C'est ainsi que le son /Z/ s'écrit *S* et non *Z* dans quatre-vingt-dix pour cent des cas. Il faut dire qu'au Moyen Age, *Z* n'était pas encore disponible car il servait à écrire un son de l'ancien français, /TS/.

En français moderne, les mots en *Z* sont des mots d'origine étrangère, souvent grecque *(zone, zoo, azyme)*, italienne *(pizza, mezzo)* ou arabe *(zéro, zénith, azimut)*. On trouve également *Z* dans certains mots formés par onomatopée (où le son « imite » la chose) comme *zozoter, zinzin* et *zigzag*.

L'argot, qui ne suit pas la tradition, utilise beaucoup la terminaison -ZE, comme dans *flouze, bagouze,* etc., contrairement au français « standard » qui préfère écrire -SE, comme dans *bouse.*

> DIS DONC, LA GONZESSE, FILE-MOI TES PERLOUZES, TON FLOUZE ET TES BAGOUZES !

> MAIS QUI VOUS ÊTES POUR OSER ME RÉCITER CETTE PROSE SANS HÉSITER ?

L'utilisation systématique de *Z* dans les mots d'origine latine aurait permis d'éviter le doublement du *S* entre deux voyelles et aurait simplifié nettement l'orthographe. Si *rose* s'écrivait *roze, rosse* s'écrirait *rose.*

On a longtemps utilisé un *Z* muet après *E* pour rendre le son /é/. Lorsque l'accent aigu a été inventé, beaucoup de *Z* muets ont disparu sauf dans quelques mots comme *nez* et *rez,* et dans la conjugaison des verbes où le maintien de *Z* permet de distinguer la deuxième personne du pluriel *(aimez)* de deux autres formes prononcées de la même façon : l'infinitif (en *-er*) et le participe passé (en *-é(e)(s)*).

Pourquoi l'orthographe ?

Qu'est-ce que c'est que l'orthographe ? Que veut dire le mot « orthographe » ? d'où vient-il ? Dans *orthographe* il y a *ortho*, d'un mot grec qui signifie « droit » donc « correct », « juste », et *graphe*, d'un autre mot grec qui signifie « écrire ». En fait, on devrait dire *orthogra***phie** et non pas *orthogra***phe**, puisque c'est *graphie* et non *graphe* qui veut dire « écriture », en français savant. Quoi qu'il en soit, l'orthographe est plus qu'une écriture, c'est avant tout une écriture « correcte ». Voilà pourquoi elle s'accompagne de la *faute*. Mais l'écriture d'une langue n'est pas forcément une orthographe. Il existe des langues qu'on peut écrire sans pouvoir faire de fautes. Dans ces langues on écrit tous les mots « comme ils se prononcent ».

Quelle bonne idée ! Et pourquoi est-ce que nous, en France, on n'en ferait pas autant ? A quoi sert de faire compliqué quand on pourrait faire simple ? On ne peut pas répondre à la question sans faire un peu d'histoire.

Une langue, ça se parle avant tout. Nos lointains ancêtres savaient parler, mais ils ne savaient pas écrire. Encore aujourd'hui, il existe nombre de langues, en particulier dans ce qu'on appelle le Tiers Monde, qui ne s'écrivent pas du tout. Ça ne veut pas dire qu'il s'agit de langues inférieures, de langues « de sauvages ». Ces langues ont, tout comme le français, une grammaire, ni plus simple ni plus compliquée. Simplement, les peuples qui parlent ces langues purement orales n'ont pas éprouvé le besoin de les fixer par écrit, ni de les enseigner dans des écoles, à l'aide de grammaires scolaires et de dictionnaires. L'absence d'écriture ne signifie pas non plus l'absence de littérature. Pour raconter une histoire, on n'est pas obligé de l'écrire. On peut la mémoriser et la transmettre de conteur en conteur et de génération en génération. C'est pour cette raison que l'on dit en Afrique que « quand un vieillard meurt, c'est une bibliothèque qui disparaît ». Conter de mémoire, c'est d'ailleurs ce qu'on faisait dans les campagnes françaises avant l'invention de l'école obligatoire (ça fait à peine plus de cent ans) quand peu de gens savaient lire et écrire.

Alors pourquoi écrire ? Écrire, c'est se donner la possibilité de transmettre l'information à distance en envoyant des messages (ça, c'était valable avant l'invention du téléphone et de la radio naturellement), c'est conserver la trace de transactions, de contrats, c'est engager sa parole par sa signature, c'est se créer des aide-mémoire. C'est aussi « mettre sur le papier » ses idées pour les rendre plus claires, mieux exprimées et les faire partager à d'autres, en plus grand nombre. Il y a bien longtemps que l'homme a découvert ces avantages de la parole écrite et qu'il a cherché à se donner l'outil nécessaire à la « transcription » de sa langue.

Transcrire sa langue, comment ? Quand on parle, on produit une suite de sons qui s'enchaînent pour former des mots et des phrases. Cette suite de sons s'associe dans notre tête à des significations, des idées. Que représenter par l'écriture? les sons ou les idées? On peut choisir de représenter les sons; dans ce cas on a une écriture de type *alphabétique,* dans laquelle, idéalement, chaque lettre correspond à un son, toujours le même. On peut choisir de représenter le sens des mots, dans ce cas on opte pour une écriture *idéographique* (littéralement « qui dessine les idées »). Les peuples européens utilisent des systèmes alphabétiques, dont les principaux sont l'alphabet grec, l'alphabet latin et l'alphabet slave ou cyrillique. Tous sont plus ou moins inspirés de l'antique alphabet phénicien. L'alphabet latin connaît de nombreuses variantes, selon la langue qu'il est appelé à représenter. Les Chinois, comme autrefois les Égyptiens, se servent d'un système essentiellement idéographique. Comme les idées sont beaucoup plus nombreuses que les sons d'une langue, on voit tout de suite l'inconvénient d'un tel système. L'apprentissage de milliers de caractères exige des années d'efforts, à côté desquels l'apprentissage de l'orthographe française, avec ses « chinoiseries », apparaît comme un jeu d'enfant; ce qu'il devrait être, justement.

Comment fait-on pour se choisir un alphabet? On commence d'abord par dresser l'état des besoins. On analyse les sons de la langue, on en fait la liste et on affecte à chaque son un symbole, qui sera une lettre. Naturellement chaque langue pourrait se forger son propre alphabet, puisque aucune langue n'est pareille à une autre. Dans la pratique, au cours de l'histoire de l'écriture, on n'a jamais procédé ainsi. Les premiers « scripteurs » ou scribes (du latin *scribere,* « écrire ») se sont toujours inspirés d'alphabets existants Les Grecs ont copié les Phéniciens, les Romains et les Slaves les Grecs. Par la suite, les Français, lorsqu'ils ont éprouvé le besoin d'écrire leur langue, eux aussi, n'ont rien trouvé de mieux que d'emprunter un outil tout prêt, l'alphabet latin.

Pour une raison fort simple.

Au Moyen Age, la langue qui devait devenir notre français national – le francien – était une des formes qu'avait prises le latin dit « vulgaire », par opposition au latin « classique ». Jusqu'au neuvième siècle, cette langue, parlée en Ile-de-France, ne s'écrivait pas du tout. Les « lettrés » ne savaient écrire qu'en latin. Si bien que personne, parmi les premiers scribes français, n'a eu l'idée géniale de constituer un alphabet spécialement adapté aux besoins de notre langue[1]. Malheureusement, le français avait une prononciation très différente et un nombre de sons (voyelles surtout, mais aussi consonnes) plus élevé que le latin.

Dès l'origine donc, les scribes ont dû « bricoler », combiner des groupes de lettres pour rendre un seul son, en contradiction flagrante avec le principe de base des transcriptions alphabétiques : « Un son = une lettre. » Le français moderne, dans sa variété standard, possède treize sons-voyelles ; il en a eu davantage encore dans le passé.

Pourtant, toute personne qui sait écrire est persuadée que les voyelles sont au nombre de cinq (plus une) ; a, e, i, o, u (+ y). C'est que les Romains se contentaient de ces cinq lettres pour noter les sons-voyelles du latin. Ils ne distinguaient pas dans l'écriture les voyelles longues et les voyelles brèves ; ils n'avaient pas de voyelles nasales ; ils n'avaient pas le son /U/ du français *lu*, et la lettre *U* se prononçait /*OU*/ ; ils ne faisaient pas de différence entre *é* et *è*, etc.

---

1. Plus tard, au seizième siècle, des projets sont nés, mais le mal était fait.

En outre, côté consonnes, quatre sons nouveaux, /CH/, /J/, /Z/ et /V/, sont venus s'ajouter à l'inventaire du latin. Si bien que le français n'avait aucune chance d'être transcrit sans problème en utilisant l'alphabet latin. Il aurait fallu l'adapter et surtout créer tout de suite de nouvelles lettres pour conserver la correspondance entre l'écrit et l'oral. On a manqué d'audace et d'imagination. Le seul exemple de l'introduction raisonnée de lettres nouvelles est la scission de *I* et *J*, *U* et *V* sur proposition de Ramus au seizième siècle. Malheureusement, cette réforme venait trop tard.

D'autres peuples ont eu plus de chance : les Slaves par exemple, pour qui saint Cyrille et saint Méthode concoctèrent un alphabet sur mesure, le cyrillique, qui rend la faute d'orthographe très improbable.

Évidemment, avec le recul, on se dit que finalement, il est heureux que tant de peuples aient choisi d'avoir un alphabet commun, l'alphabet latin, qui est de loin le plus répandu dans le monde. Cela facilite énormément la circulation internationale des imprimés et des écrits en général, le fonctionnement du télégraphe et aujourd'hui des ordinateurs, l'apprentissage des langues étrangères enfin (aujourd'hui, un chercheur français parlant très médiocrement l'anglais arrive à lire sans difficulté un texte scientifique écrit dans cette langue, grâce à la graphie commune). Mais cette chance, pour l'écolier français ou anglais[1] par exemple, se paie d'un prix très lourd, celui de l'orthographe.

Car les très nombreuses langues qui utilisent un alphabet à base latine se divisent en deux groupes : celles qui

1. Si on vous dit que l'orthographe de l'anglais est plus simple et que cela contribue à la position dominante de cette langue, ne le croyez pas, c'est faux.

81

ont une orthographe et celles qui n'en ont pas. La différence est simple : chaque fois que le nombre de lettres ne coïncide pas avec le nombre de sons, on est obligé de multiplier les règles spéciales et les signes distinctifs (accents, lettres muettes, etc.). Dans certains cas, ces règles sont assez simples et fonctionnent sans exceptions ; c'est le cas de l'italien. Dans d'autres cas, ces règles fourmillent d'exceptions, lesquelles engendrent à leur tour de nouvelles règles, et les choses se compliquent encore ; c'est le cas du français (ou de l'anglais).

De bricolage en bricolage, l'orthographe française, à l'époque où elle a été figée, il y a environ un siècle, en est venue à ressembler à un mécanisme ultra-compliqué, absurde par bien des côtés, dont le seul mérite est de fonctionner, même si peu de « scripteurs », y compris parmi les écrivains et les enseignants, sont à l'abri de la faute. Quant aux écoliers, n'en parlons pas...

D'où la fameuse crise de l'orthographe.

Il faut savoir que cette crise est réactivée périodiquement depuis le tout début de l'École de Jules Ferry, et que rien ou presque n'a pu être fait jusqu'à présent, malgré les campagnes de presse, les réunions de Sages et les bonnes intentions des ministères.

Une telle résistance à la réforme incite à se poser des questions. Manifestement, on ne peut régler le problème à coup de « yaqu'à ».

En gros, trois positions se partagent l'opinion.

Tout d'abord, la position conservatrice, soutenue par les chantres de l'« historicité » et les défenseurs du patrimoine. Vue sous cet angle, cette position apparaît réactionnaire. De plus, ses tenants sont souvent mal informés de l'histoire réelle de la graphie française, qui n'a jamais cessé de tâtonner et de se chercher jusqu'au dix-neuvième siècle.

D'un autre côté, il est impossible de nier le potentiel esthétique, ludique, jouissif, de notre orthographe. Sans elle, bien des jeux qui prennent comme matériau la langue écrite seraient impossibles. Plus de mots croisés, plus de zigomar, plus d'anagrammes, plus de rébus... En outre, il y a quelque chose de grandiose dans un système aussi gratuitement compliqué. Enfin, l'aspect étymologisant de notre orthographe est une mine d'informations, tant historiques que grammaticales (même si on y trouve parfois de fausses étymologies). Pourquoi s'en priver ? On peut soutenir aussi que le système de l'orthographe, avec ses dissymétries, ses ambiguïtés, ses « homonymies » (plusieurs sons différents pour une seule et même graphie) et ses « synonymies » (plusieurs graphies pour le même son), est à l'image de la langue elle-même.

La deuxième position, la plus radicale, est la moins connue du grand public. C'est celle des défenseurs de l'écriture phonologique, qui se fonde sur l'analyse scientifique de la langue et à laquelle un(e) linguiste ne peut que souscrire, au moins au plan du principe. Une écriture *phonologique* et non *phonétique,* car il ne s'agit pas d'écrire « comme on prononce » (il y aurait trop de variations) mais de donner une représentation univoque à tous les sons véritablement distinctifs (permettant de distinguer le sens des mots) en gommant les différences contextuelles, régionales, sociales ou individuelles. Malheureusement, si on peut proposer avec succès ce type d'écriture à des pays « jeunes », sans tradition littéraire, en France, l'adoption d'un tel système paraît utopique. A moins de le faire coexister avec le système actuel. Peut-être est-ce envisageable au stade de l'enseignement primaire. Après tout, les Chinois apprennent bien aujourd'hui l'alphabet pin-yin (phonétique) avant de s'initier aux idéogrammes. D'ailleurs, des expériences de ce type ont été menées en Angleterre. Mais ne risquerait-on pas de créer un fossé encore plus grand entre les élites détentrices de l'orthographe traditionnelle et les masses de scripteurs phonologiques ?

Reste la position réformiste, qui a la faveur des gens « raisonnables » et de bonne volonté. Cette option est bien tentante. Supprimer quelques aberrations : éliminer les accents circonflexes, les lettres doubles injustifiées, remplacer PH par F, etc., voilà qui pourrait mettre beaucoup de gens d'accord. Au point qu'on se demande pourquoi diable on n'y parvient pas, depuis le temps qu'on en parle (c'est-à-dire au moins depuis le seizième siècle !).

Ce ne sont pas les « conservateurs » qui font la meilleure critique de l'option réformiste mais bien les partisans d'une réforme radicale[1]. En effet, les règles qui gouvernent l'orthographe sont tellement imbriquées qu'y toucher ici ou là risque de provoquer des réactions en chaîne. Une seule maille se déchire et le bas commence à filer. De

1. En particulier, Claire Blanche-Benvéniste et André Chervel dans *L'Orthographe*, Paris, Maspero, 1969, dont voici un extrait : « Soit le phonème /ã/ qui peut être noté par les graphies *an, en, aon*... Depuis le XVIe siècle, l'unification de ces graphies est périodiquement proposée, au profit de *an*. [...] Dans un deuxième temps, on s'intéresse aux incidences des modifications sur l'ensemble du système. Remplacer tous les *en* qui notent /ã/ par des *an* ne laisse pas de poser de nombreux problèmes. Orthographiés *cant* et *gans*, les mots *cent* et *gens* ne peuvent plus être lus /sã/ et/žã/; on lit /kã/ et /gã/. Une réforme en entraîne une autre : on décidera, au moins dans certains cas, de remplacer à l'initiale *c-* et *g-* valant /s/ et /ž/ par *s* et *j*. Mais voilà notre nouveau mot *sant* devenu l'homonyme graphique de la forme verbale *il sent* qui n'échappe pas à la transformation proposée : *il sant*. Et le réformateur se trouve contraint d'accepter un nouveau principe : sa réforme n'hésitera pas à multiplier les homographes, là même où la tradition s'efforce de distinguer les homonymes. Que dire de l'étymologie qu'on est obligé de jeter par-dessus bord ? Que reste-t-il du latin *centum* dans le mot *sant*? Et,

proche en proche, ne serait-on pas obligé de toucher à la totalité du système ? Et dans ce cas, pourquoi ne pas repartir de zéro, sur des bases plus saines ? Retour à l'option deux et de là, pour cause de pesanteurs socioculturelles, à l'option un, c'est-à-dire à la case départ.

Souhaitons bonne chance aux générations futures. Il n'est pas sûr que la faute originelle leur sera épargnée.

---

corollaire de l'argument étymologique, quelle relation l'esprit établira-t-il entre *sant* et le chiffre romain *C* dont l'usage est loin d'avoir disparu ? De plus, puisqu'on a remplacé par un *s-* un *c-* initial valant /s/, pourquoi s'arrêter en si bon chemin, et ne pas écrire *du sidre, un simetière,* etc.? Car tout système a sa logique propre : le phonème /s/ réclamera l'unité graphique que vient d'obtenir le phonème /ã/. Or il n'y a pas de part pour tous au gâteau alphabétique. »

	phénicien archaïque	phénicien	grec archaïque	grec classique	étrusque	latin	moderne
bœuf	K [1]	(aleph)	A	A	A	A	A
maison	(beth)	(beth)	(beth) [2]	B	B	B	B
chameau	(gimel)	(gimel)	(gimel)	Γ		C	C
porte	Δ	(daleth)	Δ	Δ	D	D	D
fenêtre	(he)	(he)	(he)	E	(he)	E	E
crochet	Y	Y [3]	(waw)		(waw)	F	F
						G [4]	G
arme	I	I	I	Z [5]	I		
mur	(heth)	(heth)	(heth)	H	(heth)	H	H
gourde	⊕	⊗	⊗	Θ	⊗		
main	(yod)	Z	(yod)	I	I	I	I
							J
paume	↓	(kaph)	(kaph)	K	(kaph)	K	K
aiguillon	(lamed)	(lamed)	(lamed)	Λ	(lamed)	L	L
eau	(mem)	(mem)	(mem)	M	(mem)	M	M

1. Dans l'alphabet phénicien toutes les lettres représentent des consonnes et correspondent à un mot. D'un alphabet à l'autre, la valeur phonétique a pu varier (parfois considérablement) pour une même lettre.

2. A l'origine, les Grecs et les Étrusques, tout comme les Phéniciens (et les Sémites dans leur ensemble), écrivaient de droite à gauche. Vers le sixième siècle avant Jésus-Christ, les Grecs (suivis par les Romains) retournent leurs lettres et se mettent à écrire de gauche à droite.

3. Cette lettre phénicienne a donné *Y* aux Grecs, devenu *U/V* chez les

	phénicien archaïque	phénicien	grec archaïque	grec classique	étrusque	latin	moderne
poisson	ら	Y	ᐅ	N	ᐁ	N	N
arête	‡	‡		Ξ	⊞		
œil	O	O	O	O	O	O	O
bouche	ℸ	ↄ	⏋	Π	ↄ	P	P
hameçon		ᶆ	M		M		
chas		φ	φ		φ	Q	Q
tête	৭	◁	◁	P	◁	R	R
dent	W	W	ƨ	Σ	↳	S	S
signe	+	†x	X	T	Υ	T	T
				Y [6]	Υ	V	U
							V
							W
				X		X	X
						Y	Y
			Φ	Ψ	Ω [7]	Z	Z

D'après David Diringer, A History of the Alphabet, *Gresham Books, 1953, 1977.*

Romains. Cette même lettre phénicienne, une fois retournée, a donné naissance au *F* latin. Ces quatre lettres ont donc une origine commune.

4. *G* est issu de *C* par adjonction d'une barre.

5. Le *Z* des Grecs fut emprunté tardivement par les Romains et placé en fin d'alphabet, en même temps que le *Y*.

6. Voir 3.

7. Lettres propres au grec.

Système actuel des voyelles du français standard

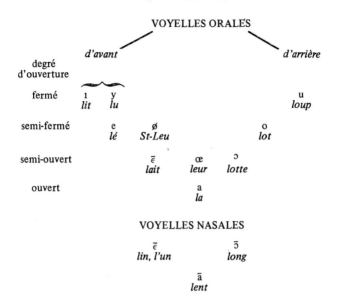

VOYELLES ORALES

	d'avant				*d'arrière*
degré d'ouverture					
fermé	ı *lit*	y *lu*			u *loup*
semi-fermé		e *lé*	ø *St-Leu*		o *lot*
semi-ouvert			ε̄ *lait*	œ *leur*	ɔ *lotte*
ouvert			a *la*		

VOYELLES NASALES

ε̃
lin, l'un

ɔ̃
long

ã
lent

Classement phonologique des consonnes françaises

		occlusives		continues
		orales	*nasales*	
labiales et labio-dentales	*sourdes*	/p/	/m/	/f/
	sonores	/b/		/v/
dentales et alvéolaires	*sourdes*	/t/	/n/	/s/ } *(sifflantes)*
	sonores	/d/		/z/
palato-vélaires	*sourdes*	/k/	/ñ/	/š/ } *(chuintantes)*
	sonores	/g/		/ž/

	liquides		semi-voyelles
	latérale	*vibrante*	
	/l/	/r/	/w/ (*oui*)
			/ɥ/ (*huit*)
			/j/ (*bille*)

Brève bibliographie

Blanche-Benvéniste Cl. et Chervel A., *L'Orthographe*, Paris, Maspero, 1969.

Catach N., *L'Orthographe française*, Paris, Nathan, 1986.

Cohen M., *Histoire d'une langue, le français*, Paris, Les Éditions sociales, 1947 (1987).

Cohen M., *La Grande Invention de l'écriture et son évolution*, Paris, Klincksieck, 1958.

Martinet A., *Le Français sans fard*, Paris, PUF, 1969.

IMPRIMÉ PAR MAME IMPRIMEURS À TOURS (INDRE-ET-LOIRE)
DÉPOT LÉGAL : MARS 1990 - N° 11566 (24224)

Collection Points

SÉRIE POINT-VIRGULE